COMO HACER FLORES CON TEJIDO DE MEDIA

Mercè Oller/Anna Rosa Soto

cómo hacerlo

COMO HACER FLORES CON TEJIDO DE MEDIA

ediciones
ceac

Perú, 164 - 08020 Barcelona - España

© MERCE OLLER/ANNA ROSA SOTO

EDICIONES CEAC, S.A.
Perú, 164 - 08020 Barcelona (España)

1.ª edición: Marzo 1993
ISBN: 84-329-8361-6
Depósito Legal: B. 10892-1993

Impreso por:
BIGSA Industria Gráfica
C/ Manuel Fdez. Márquez, S/N Mód. 6-1
08930 San Adrián del Besós
(Barcelona)

*Impreso en España
Printed in Spain*

ÍNDICE

INTRODUCCIÓN

OPERACIONES BÁSICAS

El tejido de media puede constituir uno de los materiales más sencillos –y más económicos– para realizar todo tipo de flores, centros y ramilletes.

A lo largo del libro proponemos 25 variedades diferentes a realizar; para cada una de ellas se indica el material preciso, se describe la forma de llevar a cabo el trabajo, se dan una serie de dibujos explicativos y la fotografía en color de la flor ya finalizada.

Así, será fácil elegir entre los diversos modelos –desde la amapola y centros de Navidad hasta ramos de novia y cuadros de fantasía–.

En muchos casos bastarán unas sucintas instrucciones para la confección de la flor o ramo deseado. En otros se requerirá una mayor explicación para así facilitar el trabajo. En todos los casos, el dibujo del perfil de la hoja y de los pétalos, los materiales requeridos y la fotografía final acompañan a la citada explicación.

Para empezar, realizaremos unos aros alambre, como se muestra, en 4 fases, e fotografía. Su diámetro será el deseado se el tamaño de las flores. Para ello utilizarer cualquier objeto de forma cilíndrica.

Una vez tengamos el aro hecho, lo mol remos con los dedos hasta lograr la forma pétalo de la flor que vayamos a realizar.

Deberemos hacer uno de los pétalos co alambre más largo que los demás, a fir usarlo como tallo. Seguidamente cortarer la media en forma de cuadros, cuyo tam será el doble del diámetro del aro. Estos s jarán encima de los aros, tensándolos al m mo, y a continuación los ataremos cor alambre fino de 0,3 mm.

Cuando tengamos todos los pétalos, juntaremos formando la flor y en su ce pondremos los pistilos correspondientes. remos todo ello con alambre de 0,3 mm rraremos el tallo con la cinta floral.

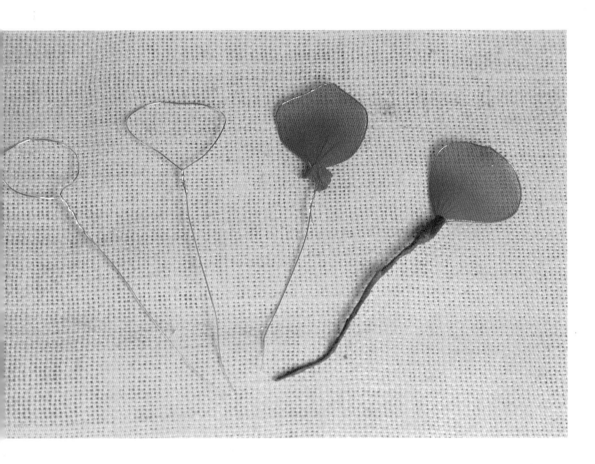

stas son las instrucciones comunes para
izar todos los modelos del libro. Caso de
uerirse una mayor explicación para algún
delo determinado, ésta se da en la página
tiva al mismo.

MATERIALES Y HERRAMIENTAS

Indicamos a continuación los materiales y herramientas que más habitualmente se precisarán para realizar los modelos que figuran en el libro:

- Alambre oro o plata de 0,6 mm (Para las flores).
- Alambre oro o plata de 0,8 mm (Para las flores).
- Alambre oro o plata de 1 mm (Para los tallos).
- Alambre oro o plata de 0,3 mm (Para atar).
- Medias de colores.
- Pistilos artificiales.

- Cinta floral (Verde, marrón o blanca).
- Tijeras.
- Alicates pequeñas.
- Objetos cilíndricos (lápices, tubos, er ses, etc.).
- Anillas de plástico.
- Cintas de terciopelo.
- Peanas de madera.
- Purpurinas.
- Rotuladores para tela.
- Adornos decorativos complementa (plumas de ave, piñas, ramas naturales árbol, etc.).

⁄APOLAS

⁊terial necesario:

Alambre oro o plata de
).6 mm (flor)
Pistilos negros con la
ɔunta blanca
Medias rojas
Medias verdes
Alambre 0,3 mm (para
ɔtar)
Medias negras
Cinta floral verde
⁊0 cm cinta fantasía

ara realizar estas amapolas trabajaremos
า tres tamaños de flor, cada una con cuatro
alos. Las flores tendrán 4, 5 y 6 cm de diá-
tro, respectivamente. Moldearemos en
ner lugar el aro de alambre como indica el
ujo.

Después, con la media negra haremos una
a de 1 cm de diámetro, y a su alrededor co-
aremos los pistilos negros con la punta
nca. A continuación montaremos la flor
ndola con el alambre fino de 0,3 mm y forra-
าos el tallo con la cinta floral verde.

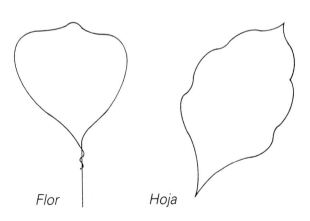

Flor   Hoja

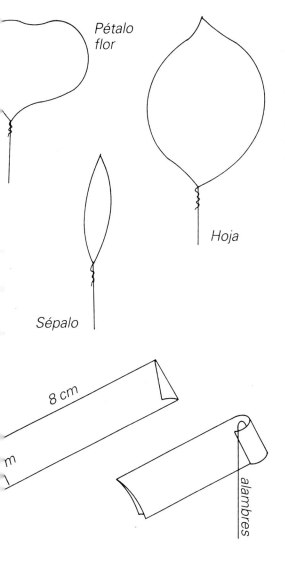

Pétalo flor

Hoja

Sépalo

8 cm

m

alambres

ROSAS

Material necesario:

- Medias rojas
- Medias verdes
- Alambre 0,6 oro
- Alambre 0,3 oro
- Cinta floral verde

Para realizar estas rosas dispondremos de dos tamaños de flor. Las dos flores grandes constan de 6 pétalos de 4 cm de diámetro, 3 de 2 cm de diámetro y 5 sépalos de 2,5 cm de diámetro. La flor pequeña está formada por 6 pétalos de 3 cm de diámetro, 3 de 1,5 cm de diámetro y 5 sépalos de 3 cm de diámetro.

En el centro de cada flor colocaremos un trozo de media de 8 × 4 cm, doblado por la mitad como muestra el dibujo. El ramo lleva tres hojas de 5,4 y 3 cm de diámetro, respectivamente.

HIBISCUS

Material necesario:

- Alambre oro de 0,6 r
- Alambre oro de 0,3 r
- Medias rojas
- Medias verdes
- Pistilos amarillos pur
  roja
- Cinta floral verde
- Cinta floral blanca

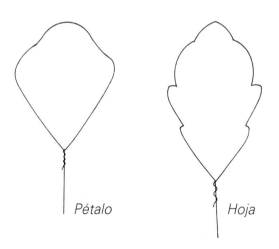

Pétalo   Hoja

Para realizar el hibiscus necesitamos, p
cada flor, 5 pétalos de 4 cm de diámetro, a
que daremos forma como indica el dibujo.
hojas deberán tener 5 cm de diámetro.

Unir, en el centro, 3 pistilos de 4 cm de
go, de modo que salgan de la flor; después
rrarlos con cinta floral blanca.

FLOR DE PASCUA

Material necesario:

- Alambre oro 0,6 mm
- Alambre oro 0,3 mm
- Pistilos amarillos redondos punta roja
- Medias rojas
- Medias verdes
- Cinta floral marrón

La flor de Pascua es un ramo que consta de dos flores de distinto tamaño. Una está formada de 6 pétalos de 3,5 cm de diámetro y 6 de 3 cm de diámetro. La otra de 6 pétalos de 4 cm de diámetro, 6 de 3,5 cm de diámetro. Por su parte, las 3 hojas tienen 5 cm de diámetro.

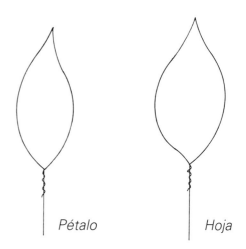

Pétalo   *Hoja*

FLOR DE FANTASIA

Material necesario:

- Alambre oro de 0,6 mm
- Alambre oro de 0,3 mm
- Medias rojas
- Medias verdes
- Pistilos perla múltiple blanca
- Cinta floral verde

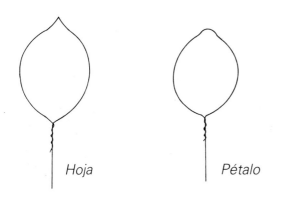

Hoja   Pétalo

Esta bella flor de fantasía consta de 7 pétalos de 3 cm de diámetro y de una hoja de 4 cm de diámetro. Para su confección basta con seguir las normas ya llevadas a cabo anteriormente.

FLOR DORADA

Material necesario:

- Alambre oro de 0,6 mm
- Alambre oro de 0,3 mm
- Pistilos múltiples perla oro
- Media dorada
- Cinta floral verde

Esta bella flor dorada consta de 9 pétalos de 3 cm de diámetro. Es fácil de realizar siguiendo las normas de costumbre.

Pétalo

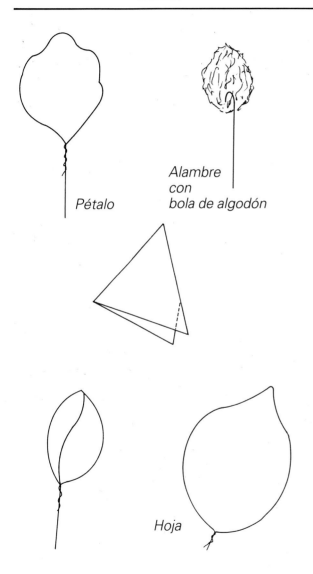

Pétalo

Alambre
con
bola de algodón

Hoja

MAGNOLIA

Material necesario:

- Alambre plata de 0,6 mm
- Alambre plata de 0,3 mm
- Media blanca
- Media verde
- Algodón
- Cinta floral verde
- Pistilos amarillos

Cada flor está formada por 8 pétalos de 3 cm de diámetro y 4 de 2 cm de diámetro.

En el centro haremos una bola de algodón de 1 cm; a continuación cortaremos un cuadro de media de color blanco de 3 cm, lo doblaremos en pico y lo enrollaremos de la forma que indica el dibujo. Cada flor precisa de una hoja verde de 4 cm y tres de 5,5 cm.

Los pétalos de las flores se pueden difuminar con rotuladores para telas tono rosa pastel.

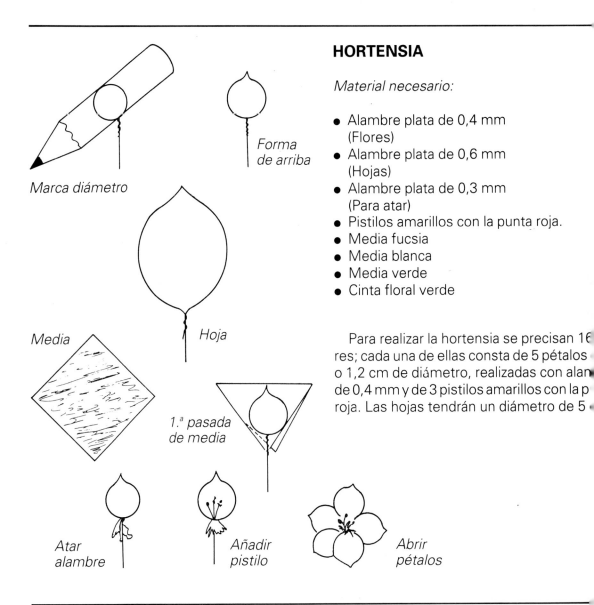

Marca diámetro

Forma
de arriba

Media

Hoja

1.ª pasada
de media

Atar
alambre

Añadir
pistilo

Abrir
pétalos

HORTENSIA

Material necesario:

- Alambre plata de 0,4 mm
  (Flores)
- Alambre plata de 0,6 mm
  (Hojas)
- Alambre plata de 0,3 mm
  (Para atar)
- Pistilos amarillos con la punta roja.
- Media fucsia
- Media blanca
- Media verde
- Cinta floral verde

Para realizar la hortensia se precisan 16
res; cada una de ellas consta de 5 pétalos
o 1,2 cm de diámetro, realizadas con alan
de 0,4 mm y de 3 pistilos amarillos con la p
roja. Las hojas tendrán un diámetro de 5

RAMILLETE DE FLO

Material necesario

- Alambre 0,6 plata
- Alambre 0,3 plata
- Pistilos amarillos pur
  roja
- Medias lila claro
- Medias verdes
- Cinta floral verde
- Rotulador para tela li
  oscuro
- Purpurina líquida vio
- Hojas fantasía violeta

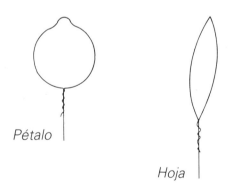

Pétalo

Hoja

El ramillete está formado por 3 flores
pétalos de 2,5 cm de diámetro cada una
como de 12 hojas de 2 cm de diámetro.

Para realizarlo, sombrearemos el interic
la flor con un rotulador y a continuación d
mos los reflejos con purpurina líquida.

RAMO AZUL 3 ANILLAS

Material necesario:

- 3 Anillas plástico de 6 cm de diámetro
- 3 Tiras de cinta de raso o terciopelo color azul de 8 mm de ancho.
- Medias verdes
- Medias azul claro
- Pistilos perla múltiples
- Alambre 0,6 plata
- Alambre 0,3 plata
- Cinta floral verde
- Purpurina líquida azul, verde y nacar.
- Pincel fino

Este ramo de 3 anillas consta de dos flores de 10 pétalos de 2,5 cm de diámetro y una de 10 pétalos de 3 cm de diámetro. También se precisan dos hojas de 3,5 cm de diámetro y dos de 4,5 cm de diámetro.

Las tres anillas de plástico, las flores y las hojas se unirán mediante un alambre plateado de 0,3 cm. A continuación pintaremos el centro de cada pétalo de la flor con purpurina líquida azul y los extremos de color nácar; las hojas las pintaremos con el color verde y nácar.

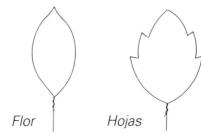

Flor   Hojas

CENTRO DE NAVIDAD

Material necesario:

- 1 peana de madera 23 × 14
- 1 piña dorada
- 1 vela de 20 cm nacarada
- 1 soporte para vela
- Adornos navideños
- Alambre 0,6 oro
- Alambre 0,3 oro
- Medias rojas
- Medias verdes
- Pistilos amarillos punta roja
- Pistilos rojos brillantes
- Cinta floral marrón
- Silicona transparente

   Para realizar el centro de Navidad disponemos de dos tamaños de flores. La pequeña tiene 6 pétalos de 3,5 cm de diámetro y 6 de 3 cm de diámetro, junto con 2 hojas de 5 y 6 cm de diámetro. La grande consta de 6 pétalos de 4 cm de diámetro y 6 de 3,5 cm de diámetro, así como de 3 hojas de 5 cm de diámetro.

   Todo el conjunto se sujetará a la peana mediante silicona transparente.

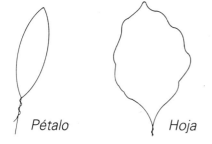

Pétalo   *Hoja*

CEITRO DE NAVIDAD DORADO

Maerial necesario:

- 1 peana de madera de 19 cm de diámetro
- 1 vela dorada de 20 cm
- 2 azos de cinta dorada
- Aambre 0,6 plata
- Aambré 0,3 plata
- Nedias rosa claro
- Nedias verdes
- Fstilos perla dorada
- Fstilos perla múltiple
- Abalorios
- Soporte vela
- Silicona transparente

Para realizar este centro de Navidad dorado, las flores constan de 5 pétalos de 3 cm de diámetro y 3 de 2,5 cm de diámetro. Por su parte, las hojes tendrán 3,5 cm de diámetro.

En e centro de las flores situaremos 6 pistilos pela dorados.

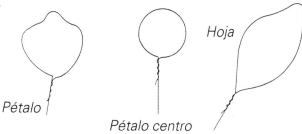

Pétalo

Pétalo centro

Hoja

CENTRO DE NAVIDAD LILA

Material necesario:

- 1 peana ovalada de 23 × 14
- 1 vela blanca nacar de 20 cm
- 1 lazo cinta lila
- Plumas lilas
- Semillas perla lila claro
- Semillas perla blanca
- Semillas perla múltiple blancas
- Alambre oro de 0,6 mm de diámetro
- Alambre oro de 0,3 mm de diámetro
- Medias lila claro
- Cinta floral marrón
- Abalorios
- 1 soporte para vela
- Silicona transparente

Para la confección de este centro de Navidad necesitamos 5 flores de 5 pétalos de 3,5 cm de diámetro cada una, así como 3 pétalos interiores de 3 cm de diámetro.

Pétalo

CENTRO DE NAVIDAD CON NACIMIENTO

Material necesario:

- 1 peana de madera de 23 × 14
- 1 piña dorada
- 1 vela roja de 20 cm
- 1 soporte para vela
- 1 nacimiento pequeño
- Alambre oro de 0,6 mm
- Alambre oro de 0,3 mm
- Pistilos rojos brillantes
- Medias verdes
- Cinta floral verde

Este centro de Navidad con Nacimiento requiere 2 flores de 7 pétalos de 4 cm de diámetro cada una, así como 2 ramas con 10 hojas de 3,5 cm de diámetro.

Todos los componentes del centro irán sujetos con silicona transparente.

Pétalo   Hojas

CENTRO DE NAVIDAD
CON ABALORIOS

Material necesario:

- 1 peana de madera de 23 × 14
- 1 vela dorada de 20 cm
- 1 soporte para vela
- 1 piña dorada
- 1 bola pórex de 4 cm de diámetro
- lentejuelas oro
- canutillos oro
- abalorios plata
- alfileres
- Alambre oro 0,6 mm de diámetro
- Alambre oro 0,3 mm de diámetro
- Pistilos rojos brillantes
- Pistilos amarillos punta roja
- Medias rojas
- Medias verdes

Las flores para este centro de Navidad las realizaremos como se ha hecho en la Flor de Pascua y en el centro de Navidad con Nacimiento.

Para la bola de Navidad pasaremos por el alfiler un abalorio plata, un canutillo oro y una lentejuela oro; clavaremos todo ello en la bola de pórex sin dejar espacios.

RAMO DE PRIMAVERA EN FLORERO

Material necesario:

- Alambre 0,6 plata
- Alambre 0,3 plata
- Pistilos perla múltiple
- Medias rosa claro
- Medias verdes
- Cinta floral verde
- Florero cristal de 15 cm

Este atractivo ramo está compuesto po
flores de 5 pétalos de 3 cm de diámetro c
una; las 4 hojas tienen un diámetro de 4
cada una de ellas.

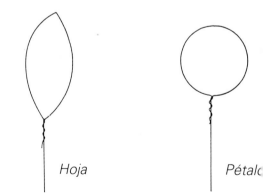

Hoja   Pétal

FLORES FANTASIA EN FLORERO

Material necesario:

- Alambre plata 0,6 mm
- Alambre plata 0,3 mm
- Medias rosa claro
- Medias blancas
- Medias verdes
- Pistilos perla dorada
- Pistilos amarillos punta roja
- Cinta floral verde
- Florero de cristal de 20 cm

Para la realización de estas flores de fantasía precisaremos de dos rosas de 5 pétalos de 3 cm de diámetro y 3 de 2,5 cm de diámetro, así como de 3 hojas de 3,5 cm de diámetro.

Las flores blancas están formadas de 7 pétalos de 3 cm de diámetro y una hoja de 3,5 cm de diámetro.

Pétalo flor rosa

Pétalo flor rosa centro

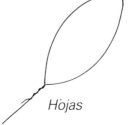

Hojas

Pétalo flor blanca

FLORES PEQUEÑAS EN FLORERO

Material necesario:

- Alambre plata 0,4 mm
- Alambre plata 0,3 mm
- Medias rosa claro
- Medias blancas
- Medias verdes·
- Pistilos perla rosa
- Cinta floral verde
- Florero de cristal de 20 cm

Para situarlos en el florero como indica la fotografía, realizaremos 12 flores, cada una de ellas de 5 pétalos de 1 cm de de diámetro; además, precisaremos de 4 hojas de 1,5 cm de diámetro.

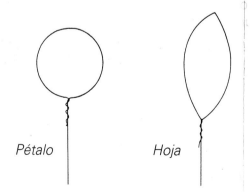

Pétalo   Hoja

FUCSIAS

Material necesario:

- Alambre oro o plata de 0,6 mm
- Pistilos amarillos
- Medias blancas
- Medias fucsia
- Medias verdes
- Cinta floral verde
- Alambre 0,3 mm (para atar)

Para cada flor precisaremos de 4 aros de alambre de 0,6 mm de 2 cm de diámetro, forrado con media blanca y 4 aros más, éstos de 3 cm de diámetro forrados con media fucsia.

También necesitaremos 10 ó 12 pistilos amarillos. Las hojas tendrán un tamaño de 4 cm de diámetro. Los pétalos deberán doblarse un poco.

Pétalo

Hoja

RAMO DECORATIVO EN JARRÓN RÚSTICO

Material necesario:

- Alambre plata 0,6 mm
- Alambre plata 0,3 mm
- Pistilos amarillos punta roja
- Pistilos marrones
- Medias amarillo claro
- Medias amarillo oscuro
- Medias blancas
- Cinta floral verde
- 1 jarrón rústico

Para este ramo decorativo se precisan: 4 flores grandes, de 14 pétalos de 3 cm de diámetro cada una de ellas; 2 ramas con 6 flores blancas de 4 pétalos de 1,5 cm de diámetro; 1 rama con 4 flores, amarillo oscuro, de 4 pétalos de 2,5 cm de diámetro; y 5 hojas de 4 y 5 cm. de diámetro.

Pétalo flor amarilla

Pétalo flor blanca

Hojas

RAMO DE NOVIA Y DE INVITADOS

Material necesario:

- Media blanca
- Media rosa claro
- Alambre 0,6 plata
- Alambre 0,3 plata (para atar y flores pequeñas)
- Pistilos múltiples perla
- Pistilos perla blanca
- Pistilos perla rosa claro
- Cinta floral blanca
- Cinta de raso blanca de 0,5 cm ancho
- 20 cm tul blanco
- 18 cm blonda blanca
- 6 cm tul blanco
- 8 cm blonda blanca

Veamos la diferencia entre el ramo de novia y el de invitados. El ramo de novia consta de 12 flores blancas, con 8 pétalos de 2,5 cm de diámetro, y 3 flores rosa claro con 3 pétalos de 1,5 cm de diámetro cada una.

El ramo de invitados está formado por 6 flores blancas de 1 cm de diámetro y 3 flores rosa claro también de 1 cm de diámetro.

Pasar un pespunte por el tul y la blonda, arrugarlo y colocarlo alrededor del ramo.

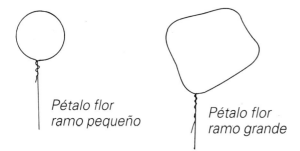

Pétalo flor ramo pequeño

Pétalo flor ramo grande

FLORES DECORANDO UN MARCO

Material necesario:

- 1 marco ovalado dorado de 12 × 13
- Alambre oro de 0,6 mm de diámetro
- Alambre oro de 0,3 mm de diámetro
- Pistilos amarillos punta roja
- Media lila claro˙
- Media verde
- Cinta floral verde

Esta atractiva y sencilla decoración de marco fotográfico se limita a 3 flores de 7 pé los de 2,5 cm de diámetro y 12 hojas de 2 de diámetro cada una.

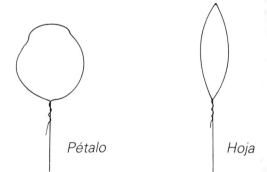

Pétalo　　　　　*Hoja*

CUADRO OVALADO

Material necesario:

- 1 marco dorado de 24 × 30
- 1 madera ovalada de 24 × 30
- Terciopelo adhesivo dorado
- Alambre plata 0,6 mm
- Alambre plata 0,3 mm
- Pistilos amarillos planos
- Pistilos amarillos punta roja
- Medias naranja
- Medias verdes

Este bello cuadro ovalado consta de 3 flores de 16 pétalos en tres tamaños: 2, 2,5 y 3 cm de diámetro, así como de 24 hojas de 3 y 3,5 cm de diámetro.

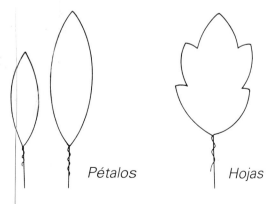

Pétalos   Hojas

CUADRO RECTANGULAR DE FANTASIA

Material necesario:

- 1 marco dorado de 30 × 40
- 1 madera 30 × 40
- Terciopelo adhesivo negro
- Alambre 0,6 mm plata
- Alambre 0,3 mm plata
- Pistilos perla blanca
- Pistilos perla múltiple
- Pistilos perla oro
- Medias rosa claro
- Medias verdes
- Cinta floral verde

Este cuadro está compuesto por 13 flores de 7 pétalos de 3,5 cm de diámetro y 8 hojas de 4,5 cm de diámetro.

Primeramente se forra la madera con el terciopelo; después atravesaremos el tallo de las flores mediante un punzón. Finalmente forraremos el cuadro con terciopelo por el reverso.

Pétalo   Hoja

MARIPOSAS

Material necesario:

- Media blanca
- Media lila claro
- Alambre 0,8 plata
- Alambre 0,3 plata
- Pintura para tela azul y negra
- Purpurina líquida oro
- Algodón

En primer lugar, forraremos los aro... alambre dejando 1,5 cm de media para uti... la como parte del relleno posterior del cue...

Dejaremos 2 partes iguales, de 5 cm larg... cada uno de los aros de alambre de las 4 a...

Para realizar el cuerpo y las antenas, cort... mos un trozo de alambre de 18 cm de larg... doblaremos por la mitad, y a 4,5 cm enroll... mos los dos extremos con dos vueltas.

De los 8 alambres de las alas, separarer... 3 de cada lado y los uniremos al alambre... cuerpo; los 2 sobrantes servirán para enrc... los al cuerpo. Este, junto con la media sob... te de las alas, irá atado con alambre de 0,3... de diámetro.

Finalmente, colocar algodón a todo el c... po y forrarlo con media.

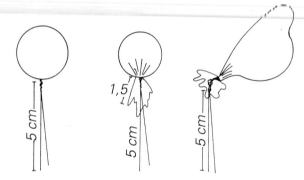

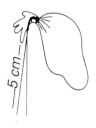

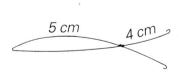

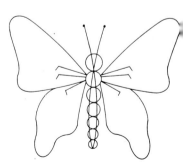